Mon Chat est un hypocrite

À Inocybe de Patouillard
Et au Camarade Kochkovitch

Mon Chat est un hypocrite

(Et en plus, il est gros)

Textes de
Hélène Lasserre
& Gilles Bonotaux

Dessins de
Gilles Bonotaux

Mon chat a une technique
bien particulière…

Pour s'approprier
ce qui ne lui appartient pas.

Tu ne touches pas !

Mon chat est un **hypocrite**.

On pourrait penser que mon chat s'intéresse à la cuisine…

Mais il n'en est rien !

Est-ce qu'il est vraiment mort ?
PAF PAF PAF

HEPS !

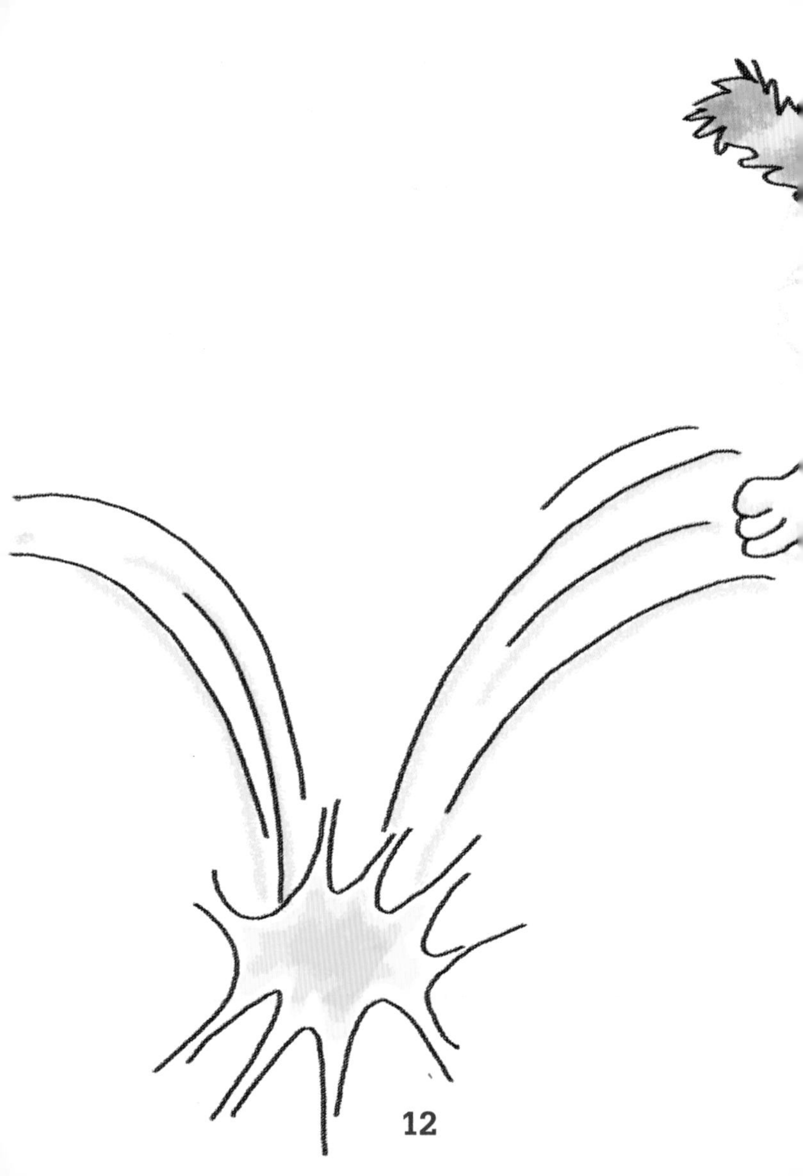

En fait, mon chat est un **voleur** !

Le meilleur ami de mon chat,
c’est le réfrigérateur…

Ou celui qui sait l'ouvrir.

Voyons, voyons !

Mais une fois servi...

Mon chat est **exigeant** !

À la campagne, mon chat est
un grand chasseur de souris…

Mais en ville…

Il met beaucoup moins
de conviction…

À chasser le haricot vert.

Rapporte !

Mais rapporte !

Bof !

Mon chat est **capricieux**.

Mon chat a parfois
des quarts d'heure de folie.

Il sursaute
sans raison,

Court dans
tous les sens,

Marche en crabe,

Le poil tout hérissé,

Et me regarde d'un air bizarre.

Je me demande si mon chat
n'est pas un peu **psychotique**.

Et quand il fait ça la nuit...

ÔÔÔôôô
Tu n'as rien entendu, toi ?
Non! Tais-toi!

Il est franchement **inquiétant**.

Une armée d'araignées...
Ou un chat fou !

Mon chat trouve que ailleurs,
l'herbe est plus verte et
les souris plus grasses…

OUAF!
GRENIER

Mon chat est un **trouillard** !

Mon chat ne respecte rien :
ni les fleurs…

Ni les tapis…

Ni les meubles.

Mon chat est un **vandale**.

Mon chat aime faire croire…

Qu'il est le meilleur grimpeur…

Hop!
Hop!
Hop!

Mais ce n'est que de l'esbroufe.

Et je n'ai pas l'option...

...Marche arrière !

SCHBOF!

Somme toute, mon chat est un **frimeur**.

Mon chat est plutôt du matin
et déteste les grasses matinées…

Mais pendant la journée, il dort
et a horreur qu'on le dérange.

Il aime beaucoup…

Qu'on s'occupe de lui.

Le soir, très tard…
Arrête de prendre toute la place !

Mon chat est un **égoïste**.

Mon chat fait des câlins…

Quand il veut…

RRRRRRRRRRRRRRRRRR

Arrête de travailler, tu me fatigues !

Travail à rendre pour demain.

Où il veut…

À qui il veut.

RRRRRRRRRRRRRRRRR

MMMMOui, C'est bon!

À moi, maintenant !
Le "massage pelotes griffues".
Alors, heureux ?
AÏÏÏÏÏE !
Mais ça fait mal !

Mon chat est vraiment **opportuniste**.

Quand il est chez lui, mon chat ne supporte pas qu'on lui vole la vedette,

Ses croquettes,

ou l'affection des humains qui lui appartiennent.

Mon chat est **jaloux**.

Mais quand il est chez les autres,
il se croit tout permis…

Gros sans-gêne
Zazie

Comme mon chat est castré,
il ne comprend rien aux filles.

SCHBOUF

Mon chat
est un **rustre**.

En matière de confort, mon chat est inventif et adaptable. Quand il fait chaud, il ressemble à un gros saucisson, à une carpette ou à un chat crevé.

Gros saucisson
Rzzzz
Chat crevé

Et quand il fait froid…

Au bout du compte, mon chat
est un **hédoniste**.

Enfin, pour se laver,
mon chat adopte…

Parfois des positions cocasses.

Mon chat est **ridicule**.

Pour résumer, mon chat est hypocrite, voleur, exigeant, capricieux, psychotique, inquiétant, trouillard, vandale, frimeur, égoïste, opportuniste, jaloux, rustre, hédoniste et ridicule.

Et c'est justement pour ça que je l'aime !

Mais tu oublies une chose...
En plus,

Je suis rancunier!

Direction de la publication
Isabelle Jeuge-Maynart

Direction éditoriale
Catherine Delprat

Édition
Laure Sérullaz

Direction artistique
Emmanuel Chaspoul
assisté de **Martine Debrais**

Mise en page
Martine Debrais

Couverture
Véronique Laporte

Fabrication
Annie Botrel

ISBN 978-2-03-583864-3

Pour les éditions Larousse, le principe est d'utiliser des papiers composés de fibres naturelles, renouvelables, recyclables et fabriquées à partir de bois issus de forêts qui adoptent un système d'aménagement durable. En outre, les éditions Larousse attendent de leurs fournisseurs de papier qu'ils s'inscrivent dans une démarche de certification environnementale reconnue.

Photogravure Turquoise, Emerainville
Imprimé en Espagne par Dedalo Offset, Madrid
Dépôt légal : avril 2009
302737/04 - 11011607 mars 2010